U0136754

《黃賓虹全集》編輯委員會編

黃賓虹全集

4

山水卷軸

山東美術出版社·浙江人民美術出版社

主　编・王伯敏
分卷主编・童中燾　王克文　陸秀競　王大川

目次

導語·秀潤天成

士夫之畫，渾厚華滋，秀潤天成，展觀之餘，自有靜穆之致，撲人眉目，能令睹者矜平躁釋、意氣全消。

——黃賓虹自題畫

黃賓虹患老年性白內障有些年頭，至八十九歲已趨失明。或已知生命之大限，或自知畫事將大成，猶如貝多芬雙耳失聰，心中指間所流出之交響樂章乃爲傳世經典，黃賓虹衝擊極限與放膽實驗的作品亦乃生命之華彩。而時至九十歲那年的春夏之間，『障翳成熟，即施刀圭』，手術前的半年間，可能已完全失視。可以想像，一向筆不離手的黃賓虹，此際只好斂目視心如坐蒲團，恣意盤礴思接象外，那股盤鬱在胸不可遏止的創造激情，仍令他以心手相應的方式繼續作畫。這時期留下的，正是這樣一種作品——或一團點綫，密密匝匝，略具形迹；或滿紙點厾，不辨物像，猶如密碼。那氣象，有如烟雨來襲，雲水蒼茫未知所終。但確定無疑的是，我們仍能清晰捫及黃賓虹心中那個圓融無礙的太極世界。

猶如涅槃，手術後需戴深度眼鏡但目力算是基本恢復。此後一年多的最後時刻，黃賓虹的生命狀態似乎從激昂奔放又回到了沉静，從容和安詳。從現存資料看，就在九十歲至九十一歲之間，有三篇重要的著述留給後人。

一是《賓虹畫學日課節目》。列有『一，廣搜圖籍；二，考證器物；三，師友淵源；四，自修加密；五，游覽寫實；六，山水雜著』。每一節目皆詳有交待。最後自謂：『雖目疾中未嘗間斷，積紙纍篋，自求進行，不敢言成就也。』讀萬卷書，走萬里路，尊師友，勤自修，是黃賓虹一輩子的修爲。九十歲再訂日課，是爲律己。在後來人看來，則可知一個學人和畫家最基本的修養或謂基本的人生態度。

二是《寫作大綱》。身爲省人大代表、政協委員，黃賓虹爲新時代的文化建設計劃所鼓舞，又與當時的省長譚啓龍甚爲相契，應承將爲文化史、畫史撰述百十萬言，遂有《寫作大綱》的編例。以『遠承先訓，近證古物，準之實學，不襲陳言』爲原則，列有：通論、原始、流派、練習、實用、品格、真贋、美醜、善惡、結總等十章。『結總』一章的編輯大意，爲『觀今鑒古，歷久常新。學燈不滅，國族萬年』。從目次及每章的『編輯大意』看，仍不脫黃賓虹平生撰著的一貫思路。他一生的撰述歷程，也即反思與發現的歷程，是有真問題的真學問。雖年已九十，學問不止，雖精力、體力不能盡百十萬言大著，僅大綱也足爲後人啓迪了。

三，或許正因爲《寫作大綱》體例龐大，有待來者，便以七言歌行吟出《畫學篇》一首，再撰《畫學篇釋義》。全文不過三千，以『上古三代、漢魏六朝，畫先象形，本原有法而不言法』『爲内美』以及『六藝』中有『君學』『民學』之分爲總綱，論析畫史正軌與歧路之原委。其重申六朝書與畫合，王維水墨合詩畫，荆關董巨二米畫渾厚華滋，元季四家見筆筆含墨，明啓禎諸賢多杰作，道咸金石特健藥諸見解，言簡而意深，是其一生研究探索的賅括。其中以『民學』與『君學』之説作爲畫史框架，是前所未有。由此提出的美學範疇『内美』，是黄賓虹于畫史、于中國美學的重要貢獻。

『内美』一詞，戰國時屈原用來指君子之品性。《離騷》中有『紛吾既有此内美兮，又重之以修能』之句。漢王逸注：『言己之生含天地之美氣。』宋朱熹亦云：『重得日月之良，是天賦我以美質于内也。』用今天的話來説，『内美』就是人的本質力量，是一個民族的文明史、精神史綿延傳承的内核。黄賓虹于『内美』的探索是多方面的，在北平講學時即以『内美』論説藝術的本質和功用，謂『藝術上者爲修養，從養一己之身心到一國族的精神者，爲内美』。他也將古文字、古紋飾的『無法而法自然』稱爲『内美』，將畫與詩合、書法入畫稱爲『内美』，置身天地『于静中可參得内美』。而所謂『不齊之齊三角弧』亦爲『内美』，則是從觀察萬物殊相中獲得的一個形式之美的規律。舉凡不封閉、不勉强、不限制、不規整的不齊之齊的合理存在，便『有法而不言法』，便有具備普遍意義的原本的、初始的美。這，可説是『内美』諸説之淵源。黄賓虹的『内美』説，内涵寬廣而精微，其中深意尚有待繼續探討。而作爲一個美學範疇提出，它拓展和豐富了中國畫學和中國美學的内藴。『内美』説不僅是黄賓虹變法的内在動力，也折射出黄賓虹深遠的歷史意識和俊偉的文化意圖。

與他最後的撰著用意相同，在這最後的一年間，黄賓虹還創作了有如《萬壑松風》㈠這樣一批凝重渾穆、意藴宏博、開合大氣的大作品。以九旬高齡，用整飭、謹嚴的筆調經營如此大製作，如同刻鑿紀念碑。其間要傳達出的，有一生深究『民族性』的心得，有對祖國高山巨川、華滋草木的敬重和懷戀，有對未來中國文化的深切期待……

《黄山湯口》㈡，永遠的夢中家山。黄賓虹自治『黄山山中人』印，曾數入黄山。讓人費解的是，他有不少黄山寫生稿，但黄山大畫軸并不多。而在他生命最後時刻，却留下如此杰構。畫中黄山并非常見的奇峰雲海，而是渾樸無奇的一面坡麓，儼然如碑石。但那已是一種象徵，是黄山，是天地宇宙，是『啓禎諸賢』如新安鄉先輩之英魂，是民族精神的一個符號。有論黄賓虹山水章法平淡無奇甚或雷同，而黄賓虹恰認爲：『古人章法不忌雷同，有筆法而不創章法者，亦可成名，因其筆有法而不弃。』由此看，黄賓虹并不是爲筆法而輕章法，正是有意爲之，以此而强調中國畫範式的基本要素。譬如他以荆浩的『雲中山頂』爲母本作畫時，便特别指出它所寓意在于『及時霖雨』和『民物關懷』。黄賓虹有言，『畫學有民族性，爲遺傳法；有時代性，爲變易法』。其九十歲後所作如《黄山湯口》，重點乃在闡明『遺傳法』。

《山中話舊》㈢，濃墨積染，此法可説是黄賓虹的基本功，也是他最基本的風格元素。至九旬之年的濃墨表現，『清湛如小兒目睛』，已臻爐火純青境地。加之他晚年喜用淋漓瀋化的漬墨法，不僅如他贊賞的明人李流芳用墨的『鮮潤』，實有過之。其積墨法精到利落，無一筆妄下，無一處粘滯，正是他一直想要的效果：『墨色濃重，年久透出紙素，即成融洽』。清湛、鮮潤、融洽，由此才能到達他所崇尚的境界：『士夫之畫，渾厚華滋，秀潤天成。展觀之餘，自有静穆之致，撲人眉目，能令睹者矜平躁釋，意氣全消』。這是絢爛歸于平淡的境界，是『内美』的另一種説法。

《宿雨初收》㈣，寫所居栖霞嶺下數百步外的西泠橋畔。可以想像黄賓虹常徜徉其間，餐霞吸露，在湖山翠微的景致裏，思緒上下數百年。所題『宿雨初收，曉烟未泮』，是古人所推重的墨法精妙如烟嵐濕翠的一種境界。黄賓虹經營如此大尺幅的畫面，南北高峰，溪岸林屋，霧靄瀰漫，枝頭新緑，全以筆尖點出，是取法巨然變董源長皴爲短皴的一種努力。可以説，筆力無人能出其右。

《論天地人圖》㈤，雖爲一草木葱蘢的坡麓，却讓觀者陡生高山仰止之情懷。黄賓虹晚年有一個奇特聯想，竟認爲浙江良渚新石器時代晚期遺址出土玉器如玉璧所呈現的自然色澤和紋理，與他所推崇的『渾厚華滋』畫境相合。新石器時期的古玉，質地在玉石之間，經幾千年深埋，原本的質樸、天然，加之歲月滄桑，化合而爲一種斑斕渾融的美，這是人工製作無法企及的。黄賓虹把筆墨造境指向這樣鬼斧神工的目標，真古今中外獨一種眼光。這幅作品無年款，但有一幀同樣畫法的作品在九十二歲時贈給至友陳叔通，所以大致可確定，這是黄賓虹晚年經心營造『渾融』境界的一次印證，就中可見他最後的一次變法行程。

注释：

㈠見本卷第二八四頁

㈡見本卷第三一〇頁

㈢見本卷第二七六頁

㈣見本卷第二七八頁

㈤見本卷第二九八頁

山水卷軸圖版·一九五三——一九五五年

紀游山水　紙本　縱五八厘米　橫三九厘米　一九五三年作　香港緣山堂藏

題識：余南游潯江　溯黔桂西南至峨嵋青城　北行齊魯燕趙諸山　今栖息西泠　蘋洲百步坐烟雨中寫此寄意　癸巳　賓虹年九十　鈐印：黃賓虹

山水 紙本 縱六五·五厘米 橫三七厘米 浙江省博物館藏

山水

紙本 縱六六厘米 橫三〇厘米 浙江省博物館藏

山水　紙本　縱七〇厘米　橫三三厘米　浙江省博物館藏

山水

紙本　縱八二厘米　横三七厘米　浙江省博物館藏

山水　紙本　縱七一·五厘米　橫三三厘米　浙江省博物館藏

山水

紙本 縱九五厘米 橫四三·五厘米 浙江省博物館藏

山水 紙本 縱八五厘米 橫三四厘米 浙江省博物館藏

山水

紙本　縱八九·五厘米　橫三九厘米　浙江省博物館藏

山水 紙本 縱一一六厘米 橫四九厘米 浙江省博物館藏

山水

紙本　縱一一四厘米　橫四八厘米　浙江省博物館藏

山水 紙本 縱九七厘米 橫四五·五厘米 浙江省博物館藏

山水

紙本　縱五九厘米　橫三二厘米　浙江省博物館藏

山水　紙本　縱二五·五厘米　橫一三三·五厘米　浙江省博物館藏

山水 紙本 縱一〇一厘米 橫三四厘米 浙江省博物館藏

山水　紙本　縱八七厘米　橫四八·五厘米　浙江省博物館藏

山水 紙本 縱九四·五厘米 橫三二·五厘米 浙江省博物館藏

山水

紙本　縱一〇一厘米　橫四一厘米　浙江省博物館藏

山水 紙本 縱九三·五厘米 橫四四厘米 浙江省博物館藏

山水 紙本 縱九〇厘米 横四八·五厘米 浙江省博物館藏

山水　紙本　縱九二厘米　橫四八·五厘米　浙江省博物館藏

山水　紙本　縱一一四厘米　横四八·五厘米　浙江省博物館藏

山水　紙本　縱六八厘米　橫四〇厘米　浙江省博物館藏

山水
紙本 縱七三厘米 橫三二厘米 浙江省博物館藏

山水 紙本 縱八五厘米 橫二九·五厘米 浙江省博物館藏

山水 紙本 縱八七·五厘米 橫四九·五厘米 浙江省博物館藏

山水 紙本 縱八七·四厘米 橫三五·六厘米 一九五三年作 浙江省博物館藏

題識：北宋人畫雲中山頂 寓有及時霖雨之意 民物關懷 于此可見 癸巳 賓虹年九十

鈐印：黃賓虹 冰上鴻飛館

山水 紙本 縱八四·九厘米 橫四一厘米 浙江省博物館藏

鈐印：黄賓虹印

山水

紙本　縱三一厘米　横一〇九厘米　浙江省博物館藏

山水　紙本　縱八六·五厘米　橫三四厘米　浙江省博物館藏

山水　紙本　縱八九厘米　橫三六·五厘米　浙江省博物館藏

山水 紙本 縱五六·八厘米 橫二八·七厘米 浙江省博物館藏

鈐印：賓虹

山水　紙本　縱五七厘米 橫三二厘米　浙江省博物館藏

山水 紙本 縱七五厘米 橫四一厘米 浙江省博物館藏

山水　紙本　縱八八·五厘米　横三七厘米　浙江省博物館藏

山水 紙本 縱六五厘米 橫三〇·五厘米 浙江省博物館藏

山水　紙本　縱一一〇厘米　横四八·五厘米　浙江省博物館藏

山水

紙本　縱一〇三厘米　橫五八厘米　浙江省博物館藏

山水

紙本　縱一一〇厘米　橫三八厘米　浙江省博物館藏

山水

紙本　縱八四·五厘米　橫三二·五厘米　浙江省博物館藏

山水 紙本 縱八八·五厘米 橫三三·七厘米 浙江省博物館藏

鈐印：賓虹

山水　紙本　縱八五·五厘米　橫三二·五厘米　浙江省博物館藏

山水 紙本 縱九〇·五厘米 横三二厘米 浙江省博物館藏

山水

紙本　縱六〇・八厘米　橫三二・八厘米　一九五三年作　浙江省博物館藏

題識：北宋人畫法簡而意繁　不在形之疏密　其變化在意　元人寫意亦同　癸巳　賓虹年九十

山水

紙本　縱五九厘米　橫三二厘米　浙江省博物館藏

山水 紙本 縱一二〇厘米 橫四九厘米 浙江省博物館藏

山水 紙本 縱一〇二厘米 橫四九厘米 浙江省博物館藏

山水

紙本　縱七五厘米　橫三二厘米　浙江省博物館藏

山水 紙本 縱八九厘米 横三二厘米 浙江省博物館藏

山水

紙本 縱九六厘米 橫三二·五厘米 浙江省博物館藏

山水　紙本　縱九五·五厘米　橫三四·五厘米　浙江省博物館藏

山水

紙本　縱一〇三·五厘米　橫四三·五厘米　浙江省博物館藏

山水

紙本　縱八八厘米　橫三一厘米　浙江省博物館藏

山水
紙本　縱八八厘米　橫三二厘米　浙江省博物館藏

山水 紙本 縱一〇一厘米 横四六厘米 浙江省博物館藏

山水　紙本　縱八八厘米　橫三七·五厘米　浙江省博物館藏

山水
紙本　縱一一九厘米　橫三七·五厘米　浙江省博物館藏

山水　紙本　縱一一五·七厘米　橫四三厘米　浙江省博物館藏

山水 紙本 縱一二二厘米 横四五·五厘米 浙江省博物館藏

山水　紙本　縱九七厘米　橫三一厘米　浙江省博物館藏

山水

紙本　縱六九·五厘米　橫三二·五厘米　浙江省博物館藏

山水 紙本 縱九六·五厘米 橫三六·五厘米 浙江省博物館藏

山水　紙本　縱九二厘米　橫三二·五厘米　浙江省博物館藏

山水

紙本　縱一一六厘米　横四一·五厘米　浙江省博物館藏

山水　紙本　縱八四・五厘米　橫五〇・五厘米　浙江省博物館藏

鈐印：潭上質印　賓虹

山水 紙本 縱八九厘米 橫四八·五厘米 浙江省博物館藏

山水　紙本　縱八三·五厘米　橫三〇厘米　浙江省博物館藏

山水

紙本　縱九二厘米　横四九厘米　浙江省博物館藏

山水 紙本 縱七二厘米 橫三二厘米 浙江省博物館藏

山水 紙本 縱七六厘米 橫四〇·五厘米 浙江省博物館藏

山水 紙本

縱四八厘米 橫三三厘米

一九五三年作 浙江省博物館藏

題識：

參差離合 書法有論 唐人奴書

字畫平勻 直如算子 院體作氣

士習輕之 有真内美不可弃也

癸巳 賓虹年九十

山水　紙本

縱三七厘米　橫二九厘米

浙江省博物館藏

山水 紙本 縱八二厘米 橫三九厘米 浙江省博物館藏

山水　紙本　縱一一二厘米　横四八厘米　浙江省博物館藏

山水

紙本　縱六二厘米　橫三三厘米　浙江省博物館藏

山水　紙本　縱一〇三厘米　横四八·五厘米　浙江省博物館藏

山水　紙本　縱八七厘米　橫三四厘米　浙江省博物館藏

山水　紙本　縱七五·五厘米　横三二厘米　浙江省博物館藏

山水 紙本 縱五八·五厘米 橫三二厘米 浙江省博物館藏

山水　紙本　縱八五厘米　橫三二厘米　浙江省博物館藏

山水 紙本 縱七七厘米 橫三三厘米 浙江省博物館藏

山水 紙本 縱八五·五厘米 橫三二厘米 浙江省博物館藏

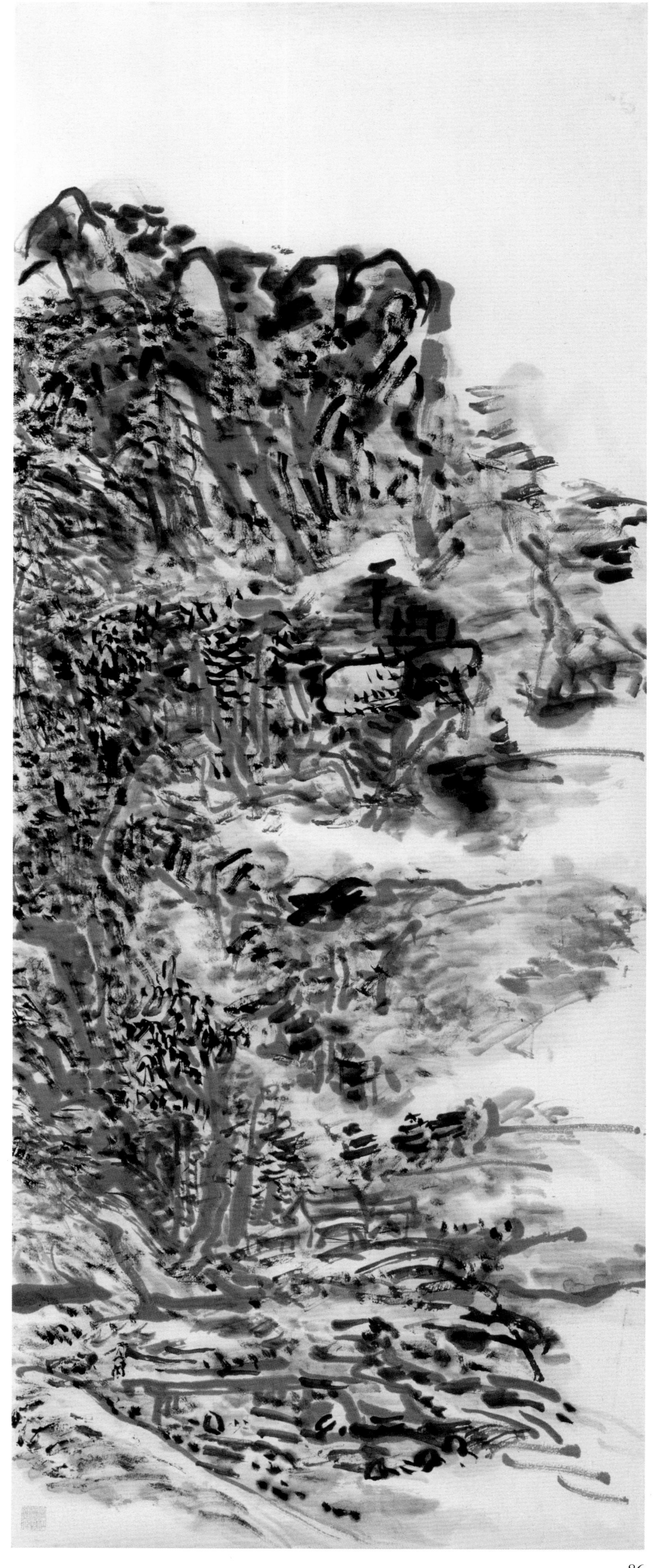

山水 紙本 縱一二一厘米 橫四八厘米 浙江省博物館藏

山水　紙本　縱八五·五厘米　橫三二厘米　浙江省博物館藏

山水 紙本 縱八七厘米 橫三一厘米 浙江省博物館藏

山水

紙本　縱九七厘米　橫三七·五厘米　浙江省博物館藏

山水　紙本　縱八一厘米　橫三一・二厘米　一九五三年作　浙江省博物館藏

題識：古人立法本大自然　閻立本不識張僧繇畫　米元章自謂無一點吴生習氣

唐人失其古法而復于北宋　當爲正軌　癸巳　賓虹年九十

鈐印：黄賓虹　賓虹

山水　紙本　縱八七厘米　横三九厘米　浙江省博物館藏

山水

紙本 縱九〇厘米 橫四九厘米 浙江省博物館藏

西泠橋上 紙本 縱九九·五厘米 橫三七·七厘米 一九五三年作 浙江省博物館藏

題識：西泠橋上遠望對江諸峰寫此 癸巳 賓虹年九十

鈐印：黄賓虹 冰上鴻飛館

山水 紙本 縱一〇三厘米 橫四二厘米 浙江省博物館藏

山水
紙本　縱五九·五厘米　橫三二厘米　浙江省博物館藏

山水 紙本 縱五一厘米 横三二厘米 浙江省博物館藏

山水 紙本 縱九六·五厘米 横三九·五厘米 浙江省博物館藏

山水 紙本 縱八七厘米 横三二厘米 浙江省博物館藏

山水

紙本　縱八七厘米　橫三七·五厘米　浙江省博物館藏

擬元人簡筆　紙本　縱一一〇·一厘米　横四二·五厘米　一九五三年作　浙江省博物館藏

題識：元人簡逸　三筆兩筆　無筆不繁　其法皆從北宋人畫築基　極能槃礴　董玄宰兼皴帶染　婁東虞山奉爲圭臬　失之已遠　至道咸中　包安吴始爲得之　癸巳　賓虹年九十

鈐印：賓虹

山水

紙本　縱九七厘米　横三五厘米　浙江省博物館藏

山水 紙本 縱一〇一厘米 橫三四厘米 浙江省博物館藏

山水 紙本 縱一〇六厘米 横四八·五厘米 浙江省博物館藏

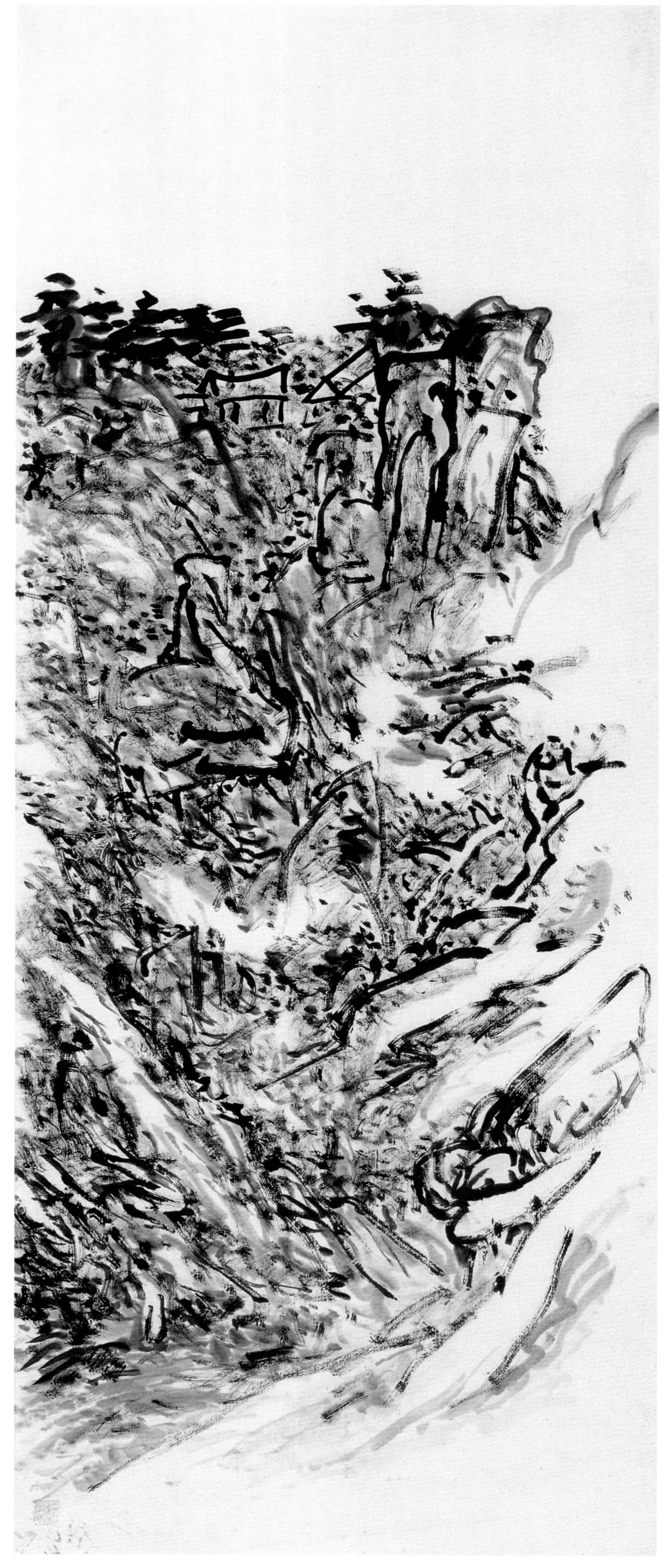

山水　紙本　縱一二一厘米　横四八厘米　浙江省博物館藏

山水 紙本 縱一一〇厘米 橫三八厘米 浙江省博物館藏

山水
紙本　縱一二一厘米　橫四八·五厘米　浙江省博物館藏

山水 紙本 縱八九·五厘米 橫三二·五厘米 浙江省博物館藏

山水

紙本　縱一〇二厘米　橫四四厘米　浙江省博物館藏

山水 紙本 縱八九厘米 橫三三厘米 浙江省博物館藏

山水

紙本　縱八二厘米　橫三七厘米　浙江省博物館藏

山水 紙本 縱九六·五厘米 橫三七厘米 浙江省博物館藏

山水 紙本 縱八七·一厘米 橫三八·一厘米 浙江省博物館藏

鈐印：賓虹

山水 紙本 縱一〇七厘米 橫四〇・五厘米 浙江省博物館藏

山水 紙本 縱九二厘米 橫三二・五厘米 浙江省博物館藏

山水 紙本 縱九五·五厘米 橫三七厘米 浙江省博物館藏

山水

紙本　縱九七厘米　橫四〇厘米　浙江省博物館藏

山水 紙本 縱一〇二厘米 橫四四·五厘米 浙江省博物館藏

山水 紙本 縱九六厘米 橫三六·五厘米 浙江省博物館藏

山水 紙本 縱一〇五厘米 橫四一厘米 浙江省博物館藏

山水 紙本 縱一〇四厘米 横四七·五厘米 浙江省博物館藏

山水　紙本　縱六八厘米　横三六厘米　浙江省博物館藏

山水 紙本 縱八一・五厘米 横四〇厘米 浙江省博物館藏

山水 紙本 縱八七·五厘米 橫三八厘米 浙江省博物館藏

山水　紙本　縱一〇三厘米　橫四八·五厘米　浙江省博物館藏

山水 紙本 縱九六·五厘米 橫三七厘米 浙江省博物館藏

山水

紙本 縱六八厘米 橫二四·五厘米 浙江省博物館藏

山水 紙本 縱四九厘米 橫二九·五厘米 浙江省博物館藏

山水 紙本 縱四八厘米 橫二八·五厘米 一九五三年作 浙江省博物館藏

題識：范中立畫 層層深厚 千筆萬筆 無筆不簡 癸巳 賓虹年九十

鈐印：黄賓虹

山水 紙本 縱八八·五厘米 橫三九厘米 浙江省博物館藏

山水

紙本　縱八六厘米　橫三六厘米　浙江省博物館藏

山水

紙本　縱八一·五厘米　横四〇·五厘米　浙江省博物館藏

山水 紙本 縱六五·五厘米 橫三四·五厘米 浙江省博物館藏

山水 紙本 縱一二〇厘米 横三八厘米 浙江省博物館藏

山水

紙本　縱八九厘米　橫三二厘米　浙江省博物館藏

山水 紙本 縱七〇・五厘米 橫三三・五厘米 浙江省博物館藏

山水　紙本　縱六八厘米　横三四厘米　浙江省博物館藏

山水 紙本 縱五八·五厘米 橫三九厘米 浙江省博物館藏

山水 紙本 縱一〇九厘米 橫五五厘米 浙江省博物館藏

山水 紙本 縱三一·五厘米 橫九三厘米 浙江省博物館藏

山水

紙本　縱五五·五厘米　橫二七·五厘米　浙江省博物館藏

山水

紙本　縱六六厘米　橫三二・五厘米　浙江省博物館藏

林暗久不霽　紙本　縱六六·八厘米　橫三三·八厘米　浙江省博物館藏

題識：林暗久不霽　積雨生莓苔　何人携短筇　尋詩石徑來

山水

紙本　縱八六厘米　橫三四厘米　浙江省博物館藏

山水　紙本　縱三九・五厘米　橫二五・五厘米　一九五三年作　浙江省博物館藏

題識：吴漁山龔半千畫　非不力求渾厚　而囿于董玄宰兼皴帶染法　猶非其至　萬毫齊力　及道咸中得其真詮　癸巳　賓虹年九十

山水　紙本　縱四八·五厘米　橫三三·五厘米　浙江省博物館藏

山水 紙本
縱二六厘米
橫二一厘米
浙江省博物館藏
鈐印：取諸懷抱

山水 紙本
縱四三・五厘米
横三二・五厘米
浙江省博物館藏

山水 紙本

縱四〇厘米

横三三・五厘米

浙江省博物館藏

山水　紙本

縱五一・八厘米

橫三九・二厘米

一九五三年作

浙江省博物館藏

題識：

畫須熟中生　生澀不浮滑

自有静氣而不甜俗　癸巳

賓虹年九十

山水　紙本　縱五六·五厘米　橫二六·五厘米　浙江省博物館藏

山水　紙本　縱五九厘米　橫三五厘米　浙江省博物館藏

山水 紙本 縱八四厘米 橫四二厘米 浙江省博物館藏

山水
紙本　縱九三厘米　橫四九厘米　浙江省博物館藏

山水 紙本 縱七六·五厘米 橫四一厘米 浙江省博物館藏

山水 紙本 縱八九厘米 橫三七·五厘米 浙江省博物館藏

山水 紙本 縱一一〇厘米 橫三八厘米 浙江省博物館藏

山水　紙本　縱八九·五厘米　横三二·五厘米　浙江省博物館藏

山水　紙本　縱一〇六厘米　橫四二厘米　浙江省博物館藏

山水

紙本　縱一五二厘米　橫四八·五厘米　浙江省博物館藏

山水 紙本 縱一〇六厘米 橫四二厘米 浙江省博物館藏

山水

紙本 縱八四厘米 橫二九·五厘米 浙江省博物館藏

山水
紙本　縱七〇・五厘米　横三二厘米　浙江省博物館藏

山水　紙本　縱九七厘米　橫三七厘米　浙江省博物館藏

山水 紙本 縱一〇〇厘米 橫三八·五厘米 浙江省博物館藏

山水

紙本 縱一三四厘米 横四七厘米 浙江省博物館藏

山水 紙本 縱八八·五厘米 横三二·五厘米 浙江省博物館藏

山水

紙本　縱九五厘米　橫四〇厘米　浙江省博物館藏

山水 紙本 縱九七厘米 橫四三・五厘米 浙江省博物館藏

山水 紙本 縱八四·五厘米 橫三二·五厘米 浙江省博物館藏

山水 紙本 縱五九厘米 横三二厘米 浙江省博物館藏

山水　紙本　縱七二·五厘米　橫三二·五厘米　浙江省博物館藏

山水 紙本 縱六七厘米 横四一·五厘米 浙江省博物館藏

山水

紙本　縱九六·五厘米　橫三四厘米　浙江省博物館藏

山水 紙本 縱七七厘米 橫四一厘米 浙江省博物館藏

山水

紙本　縱七二厘米　橫三二厘米　浙江省博物館藏

山水　紙本　縱一〇七厘米　横四五厘米　浙江省博物館藏

山水

紙本　縱六八厘米　橫三八厘米　浙江省博物館藏

山水 紙本

縱四三厘米 橫三一厘米

一九五三年作

浙江省博物館藏

題識：唐吳道子有筆無墨其習氣至明初流爲野狐禪大米自謂高出其上以此癸巳 賓虹年九十

雁蕩紀游

紙本

縱五七・八厘米

横三八・八厘米

一九五三年作

浙江省博物館藏

題識：

雁蕩上垟村諸峰

前三十年紀游

癸巳　賓虹年九十

山水

紙本　縱九四·五厘米　橫四〇厘米　浙江省博物館藏

山水 紙本 縱九六·五厘米 橫三七厘米 浙江省博物館藏

山水　紙本　縱八八厘米　橫三二厘米　浙江省博物館藏

山水

紙本　縱九七厘米　橫四四·五厘米　浙江省博物館藏

山水　紙本　縱五五·五厘米　横三〇厘米　浙江省博物館藏

宿雨初收 紙本 縱八三・二厘米 横二九・二厘米 一九五三年作 浙江省博物館藏

題識：宿雨初收 曉烟未泮 西泠湖舍 癸巳 賓虹

鈐印：黄賓虹印

山水

紙本　縱八六·五厘米　橫三二厘米　浙江省博物館藏

山水 紙本 縱六七·二厘米 橫四二厘米 浙江省博物館藏

鈐印：潭上質印 虹廬

山水

紙本 縱六八厘米 橫四二厘米 浙江省博物館藏

山水 紙本 縱九六厘米 橫三三・五厘米 浙江省博物館藏

山水 紙本 縱九〇・七厘米 橫三四・三厘米 浙江省博物館藏

鈐印：黄賓虹

山水 紙本 縱八七厘米 橫三二厘米 浙江省博物館藏

山水

紙本　縱六八·五厘米　橫三六·五厘米　浙江省博物館藏

山水

紙本　縱四二厘米　橫二五·五厘米　一九五三年作　浙江省博物館藏

題識：癸巳　賓虹年九十　古法積點成綫　自吳道子學書未成　米元章自謂無吳生習氣　畫得書法真詮也

山水 紙本 縱九六・五厘米 橫三四・五厘米 浙江省博物館藏

柳陰摇渡來 紙本 縱五〇·七厘米 横二七厘米 浙江省博物館藏
題識：雲山日夕佳 溪上久徘徊 歸路待新月 柳陰摇渡來

山水　紙本　縱六七·九厘米　橫二五·二厘米　一九五三年作　浙江省博物館藏

題識：癸巳　虹叟作于西泠　有筆苦無墨　空談吴道玄　學古書畫趣　且載米家船

山水

紙本　縱八〇・五厘米　橫三二厘米　浙江省博物館藏

山水

紙本　縱五二厘米　横二四・五厘米　浙江省博物館藏

溪山深處 紙本 縱八七厘米 橫四六·九厘米 一九五三年作 浙江省博物館藏
題識：溪山深處 癸巳 賓虹年九十
鈐印：黃賓虹 冰上鴻飛館

栖霞嶺下曉望　紙本　縱六七・二厘米　橫三六・九厘米　一九五三年作　中國美術學院藏

題識：夜雨添新漲　數帆江上飛　濕雲寒不動　空翠欲沾衣　栖霞嶺曉望　癸巳　賓虹年九十

鈐印：黃賓虹

山水 紙本

縱四一厘米 橫七三·五厘米

浙江省博物館藏

山水 紙本 縱七〇厘米 橫二九厘米 浙江省博物館藏

山水 紙本 縱四八厘米 橫二八·五厘米 一九五三年作 私人藏

題識：分明在筆 融洽在墨 筆酣墨飽 渾厚華滋 法備于北宋 至明啓禎諸賢 師法董巨 清之道咸 畫學復興 力争内美 以金石碑碣發顯尤多 足供研求也 癸巳 賓虹年九十

鈐印：黄賓虹 片石居

雁蕩山水 紙本 縱八七厘米 橫四八厘米 一九五三年作 香港綠山堂藏

題識：雁蕩山水奇峭 與陽朔相類 瀑布尤勝于岩洞之趣 癸巳 賓虹年九十

鈐印：黃賓虹

桃花溪舊迹 紙本 縱八七·五厘米 橫四七·五厘米 一九五三年作 中國美術館藏

題識：西湖栖霞嶺舊有桃花溪 今湮塞築爲園居 余休息其中寫此 癸巳 賓虹年九十

鈐印：黃賓虹

溪橋烟靄 紙本 縱九四·三厘米 橫三二·九厘米 一九五三年作 浙江省博物館藏

題識：溪橋烟靄 賓虹年九十

鈐印：黄賓虹 片石居

湖山晴靄 紙本 縱八六·二厘米 橫四五·二厘米 私人藏

題識：湖山晴靄 癸巳秋日 怒厂先生訪余栖霞嶺下 因檢舊作奉教 賓虹時年九十

鈐印：黃賓虹 冰上鴻飛館

山水 紙本 縱六六·五厘米 橫三三·四厘米 浙江省博物館藏

川蜀山水　紙本　縱六二厘米　橫三二厘米　一九五三年作　中國美術館藏

題識：宋畫刻劃　元人空虛　千變萬化　先由寫實　論者謂華新羅求脱太早　未免粗疏之誚

茲擬范華原意以川蜀山水寫之　癸巳　賓虹年九十

鈐印：黄賓虹

山水　紙本　縱六八・五厘米　橫三四厘米　一九五三年作　香港緣山堂藏

題識：看山讀畫之餘　漫興寫此　癸巳冬日　賓虹年九十

鈐印：黃賓虹　黃山山中人

歙縣前清校武場 紙本 縱六七厘米 橫三四厘米 一九五三年作 私人藏

題識：歙邑東郊有東山 前清校武場在其麓 余于光緒中初食餼 隨視學校士 一至其處 因其山水林木圖之以歸 今睽隔七十年仿佛寫此未竟 莫樸先生見而喜之 即希教正 癸巳冬日 賓虹年九十

鈐印：黄賓虹 黄山山中人

舟行所見 紙本

縱一六八厘米 橫一一二厘米

一九五三年作 西泠印社藏

題識：新安江源出黃山豐樂溪至歙浦與漸水合流入浙 舟行所見 玆試圖之

癸巳 賓虹年九十

鈐印：黃賓虹 片石居

湖山烟雨　紙本　縱八八厘米　橫三一・八厘米　一九五三年作　浙江省博物館藏

題識：湖山烟雨中　擁書萬卷　誦習餘閑　漫興寫此　癸巳　賓虹年九十

鈐印：黄賓虹　冰上鴻飛館

山水　紙本　縱六八厘米　橫三六・七厘米　一九五三年作　中南海藏

題識：禹迹鐫南岳　星輝拱北辰　降靈天應瑞　周甲日維新　圖畫開文運　舟車萃德鄰　還看勒金石　共祝八千春　潤之先生主席壽慶　黃山賓虹時年九十

鈐印：黃賓虹　黃山山中人

溪亭春曉 紙本 縱四九厘米 橫二七厘米 一九五四年作 私人藏

題識：溪亭春曉 潤庠先生屬正 甲午 賓虹年九十有一

鈐印：黃賓虹

山水 紙本 縱六九厘米 橫四〇厘米 一九五四年作 上海市美術家協會藏

題識：董北苑江南山法 賓虹年九十又一

鈐印：黃賓虹

山水 紙本 縱六四·二厘米 橫三一·七厘米 一九五四年作 私人藏

題識：賴少其先生教正 賓虹年九十又一

鈐印：黃賓虹

黄山九龍潭一角　紙本　縱七六厘米　橫三一厘米　一九五四年作　上海市美術家協會藏

題識：黄山九龍潭一角　賓虹年九十又一

鈐印：黄賓虹

山水

紙本　縱八九厘米　橫三二厘米　浙江省博物館藏

宋人画有渴笔而墨法極其映潤肥不擁腫瘦不枯羸以身使臂以腕使指萬毫齊力此六法通於六法也
渭藻醫師屬製
賓虹年九十又二

溪山幽居　紙本　縱三四厘米 橫一八〇厘米　一九五四年作　私人藏

題識：宋人畫有渴筆　而墨法極其腴潤　肥不臃腫　瘦不枯羸　以身使臂　以臂使指　萬毫齊力　此八法通于六法也　得葆醫師屬粲　賓虹年九十又一

鈐印：賓虹

垢道人筆意 紙本 縱六一厘米 橫二五厘米 一九五四年作 上海市美術家協會藏

題識：乾裂秋風 潤含春雨 垢道人法 賓虹年九十又一

鈐印：黄賓虹

鄒衣白筆意 紙本 縱六八厘米 橫三二厘米 一九五四年作 上海市美術家協會藏

題識：鄒衣白寫具區山水大意 賓虹年九十又一

鈐印：黃賓虹

松溪晚渡 紙本 縱七三厘米 橫四三・二厘米 一九五四年作 浙江省博物館藏

題識：松溪晚渡 賓虹年九十又一

鈐印：黃賓虹

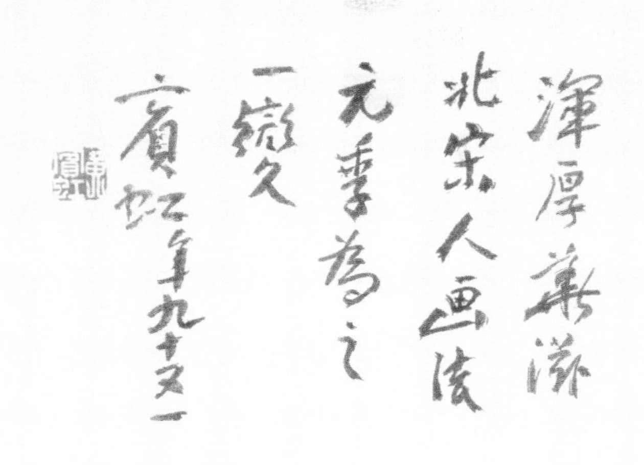

山水　紙本　縱八一厘米　横三一厘米　一九五四年作　上海市美術家協會藏

題識：渾厚華滋　北宋人畫法　元季爲之一變　賓虹年九十又一

鈐印：黄賓虹

紀游山水 紙本 縱七五厘米 橫三一・八厘米 一九五四年作 中國美術館藏

題識：瀨江自梧州至臨桂 溪流千餘里 茲寫其略 賓虹年九十又一

鈐印：黄賓虹

山水　紙本　縱八八厘米　橫三一厘米　一九五四年作　上海市美術家協會藏

題識：畫不欲明　如行夜山中　爲范中立郭河陽遺矩　賓虹年九十又一

鈐印：黃賓虹

山水 紙本 縱八八·二厘米 橫三一·二厘米 浙江省博物館藏
鈐印：黄賓虹印

山水 紙本 縱一三二厘米 橫五八厘米 浙江省博物館藏

紀游山水　紙本　縱六八·八厘米　橫三〇厘米　一九五四年作　中國美術館藏

題識：歙浦上游　黃山白岳最爲著勝　茲寫大意　賓虹年九十又一

鈐印：黃賓虹

董巨遺意 紙本 縱七七·五厘米 橫四〇厘米 一九五四年作 浙江省博物館藏

題識：董巨遺意 賓虹年九十又一

鈐印：黄賓虹

山水 紙本 縱七二·五厘米 橫三二厘米 一九五四年作 中國美術館藏

題識：穎水流合豐溪 幽蒨紆迴 歙中造墨名家程君房方于魯俱居于此 賓虹年九十又一作

鈐印：黃賓虹

山水 紙本 縱九一·六厘米 橫三七·二厘米 一九五四年作 浙江省博物館藏

題識：乾裂秋風 潤含春雨 垢道人從元季王黄鶴 梅華盦一變其法 逴躒今古 玆試寫之 黄山賓虹年九十又一

鈐印：黄賓虹 黄山山中人

山水 紙本 縱六七・五厘米 橫三五・四厘米 一九五四年作 中國美術館藏

題識：劍門山水 大痴家法爲多 茲追北宋畫意寫之 賓虹年九十又一

鈐印：黄賓虹

西泠小景 紙本 縱六七厘米 橫三四厘米 一九五四年作 香港緣山堂藏

題識：古人以草隸作畫法 樹如屈鐵 山如錐沙 玆寫西泠小景 擬爲振中先生博粲 黄山賓虹 甲午年九十又一

鈐印：黄賓虹

山水 紙本 縱六五·三厘米 横三六·五厘米 一九五四年作 上海博物館藏

題識：雲間畫派蹈于凄迷瑣碎 筆力遜耳 賓虹年九十又一

鈐印：黄賓虹

栖霞嶺下閑眺　紙本　縱五九厘米　橫三二厘米　一九五四年作　西泠印社藏

題識：栖霞嶺下閑眺　漫興寫此　九十一叟賓虹

鈐印：黄賓虹　黄山山中人

紀游山水 紙本 縱七五・五厘米 橫三一・五厘米 一九五四年作 中國美術館藏

題識：川行游峨嵋 至青城山途中所見 賓虹紀程 年九十又一

鈐印：黃賓虹

山水　紙本　縱六八・五厘米　橫三二厘米　浙江省博物館藏

會稽山一角 紙本 縱七一·五厘米 橫四一厘米 中國美術館藏

題識：晉顧愷之 人問以會稽山水之狀 答云 千岩競秀 萬壑争流 玆擬其意 賓虹

鈐印：黄賓虹

宿雨初收 紙本 縱六八厘米 橫三三厘米 一九五四年作 上海市美術家協會藏

題識：宿雨初收 賓虹年九十又一

鈐印：黃賓虹

山水 紙本

縱三三厘米 橫七五·八厘米 浙江省博物館藏

鈐印：黄山山中人

溪山訪友　紙本　縱九〇・二厘米　橫三一・三厘米　一九五四年作　私人藏

題識：溪山訪友　海燕先生教正　賓虹年九十又一

鈐印：黃賓虹

孝文仁兄先生
留意鄉邦文獻
徵集頗多欣佩久之
屬為拙筆即希
粲正 賓虹甲午年九十又一

乐居圖 （局部）

九華山 紙本 縱九八·五厘米 橫三三·五厘米 一九五四年作 中國美術館藏

題識：九華山一名九子山 江行所見 在縹渺中曩登其巔寫此 賓虹年九十又一

鈐印：黃賓虹

乐居圖 紙本

縱二五·五厘米 橫一三四厘米 一九五四年作 私人藏

題識：孝文仁兄先生留意鄉邦文獻 徵集頗多 欣佩久之 屬爲拙筆 即希粲正 賓虹 甲午年九十又一

鈐印：黄賓虹 烟霞散人

山水 紙本 縱四八·九厘米 橫二七厘米 一九五四年作 浙江省博物館藏
題識：甲午秋日 黃賓虹年九十又一
鈐印：黃賓虹

山中話舊 紙本 縱七六·一厘米 橫四〇厘米 一九五四年作 浙江省博物館藏

題識：賓虹年九十又一

鈐印：黃賓虹

宿雨初收　紙本　縱一五〇・一厘米　橫八二・一厘米　一九五四年作　浙江省博物館藏

題識：宿雨初收　曉烟未泮　西泠橋上望南北高峰寫此　九十一叟賓虹

鈐印：竹窗　黄賓虹　黄山山中人　冰上鴻飛館

紀游山水 紙本 縱一〇四・五厘米 横三四厘米 中國美術館藏

題識：瀧水南經曲江縣東 金石録曰 周府君碑陰題名凡三十一人 姓氏俱存 曲江昔號曲紅 見酈道元水經注 隸釋曰石神 漢桂陽太守周憬功勛之紀銘 熹平三年 曲紅長區祉與邑子故吏建碑于瀧上 賓虹紀游

鈐印：黄賓虹

皖浙紀游 紙本 縱九四厘米 橫三三・五厘米 一九五四年作 中國美術館藏

題識：漸江合金華水至嚴陵爲浙流入海 勝游圖此 賓虹年九十又一

鈐印：黄賓虹

山水 紙本 縱七九・四厘米 橫四七・五厘米 一九五四年作 中國美術學院藏

題識：觀其落紙風雨疾 筆所未到氣已吞 美術院彩墨畫創作室 賓虹年九十又一

鈐印：黃賓虹

萬壑松風 紙本 縱二二〇厘米 橫一二〇厘米 一九五四年作 上海市美術家協會藏

題識：黃山自淵明故里經揚干寺至湯口 萬壑松風 清泉石磴 處處引人入勝 兹以北宋畫法寫之 黃賓虹 甲午年九十又一

鈐印：黃賓虹 黃山山中人 （後三頁局部）

卷幔山 紙本 縱九二·六厘米 橫三四·三厘米 一九五四年作 中國美術館藏

題識：卷幔山 倪尚書故宅 舊有石壁寺 賓虹 甲午年九十又一

鈐印：黃賓虹

齊雲山 紙本 縱七五·一厘米 橫三一·六厘米 一九五四年作 中國美術館藏
題識：齊雲山一名白岳 後有五老峰 賓虹年九十又一
鈐印：黃賓虹

鏡湖山景一角 紙本 縱九四·五厘米 橫三四厘米 中國美術館藏

題識：鏡湖一名長湖 王逸少云 山陰道上行在鏡中 此寫湖上山小景一角 賓虹

鈐印：黃賓虹

秋山烟靄 紙本 縱九九厘米 横三〇厘米 一九五四年作 上海市美術家協會藏

題識：秋山烟靄 賓虹年九十又一

鈐印：黄賓虹

永康山峰　紙本　縱八九・五厘米　橫三二・五厘米　一九五四年作　中國美術館藏

題識：永康山峰　壁立奇峭　茲一寫之　賓虹年九十又一

鈐印：黃賓虹

鄭師山釣臺　紙本　縱九二・三厘米　橫三四厘米　一九五四年作　中國美術館藏

題識：鄭師山釣臺在漸水豐溪間　瞻望高風　乘興寫此　賓虹年九十又一

鈐印：黃賓虹

蜀游山水　紙本　縱四九·五厘米　橫二七·五厘米　上海市美術家協會藏

題識：用漬墨法寫蜀游山水　賓虹

鈐印：黃賓虹

論天地人圖 紙本 縱一四二・二厘米 橫八一厘米 浙江省博物館藏

題識：中邦繪畫附屬書算餘事 儕伍藝術游戲 萌芽文字 極盛詩歌 老子言 聖人法天 本大自然 孔門設教 分爲四科 天地生人 惟（人）最靈 是爲三才才德出衆 稱名君子 自强不息 居仁由義 從科學中保存哲學 近今歐洲學者倡言藝術 增進初尚 靈學君學唯心 民學唯物 改造變化

鈐印：黄賓虹 冰上鴻飛館

方岩 紙本 縱七五·六厘米 橫四〇厘米 中國美術館藏

題識：方岩屬永康縣 有五峯書院 左懸溜千尺 溪澗潺湲 賓虹紀游重題 時年九十又一

鈐印：黄賓虹

萬松烟靄 紙本 縱一三二・六厘米 橫六六・五厘米 中國美術館藏

題識：黄山平天矼望西海門 深谷中萬松烟靄 如入夜山 賓虹

鈐印：黄賓虹 黄山山中人

獅子林望松谷 紙本 縱一三二·五厘米 橫六六·七厘米 中國美術館藏

題識：獅子林望松谷 深暗層疊中寫此 賓虹

鈐印：黃賓虹 黃山山中人

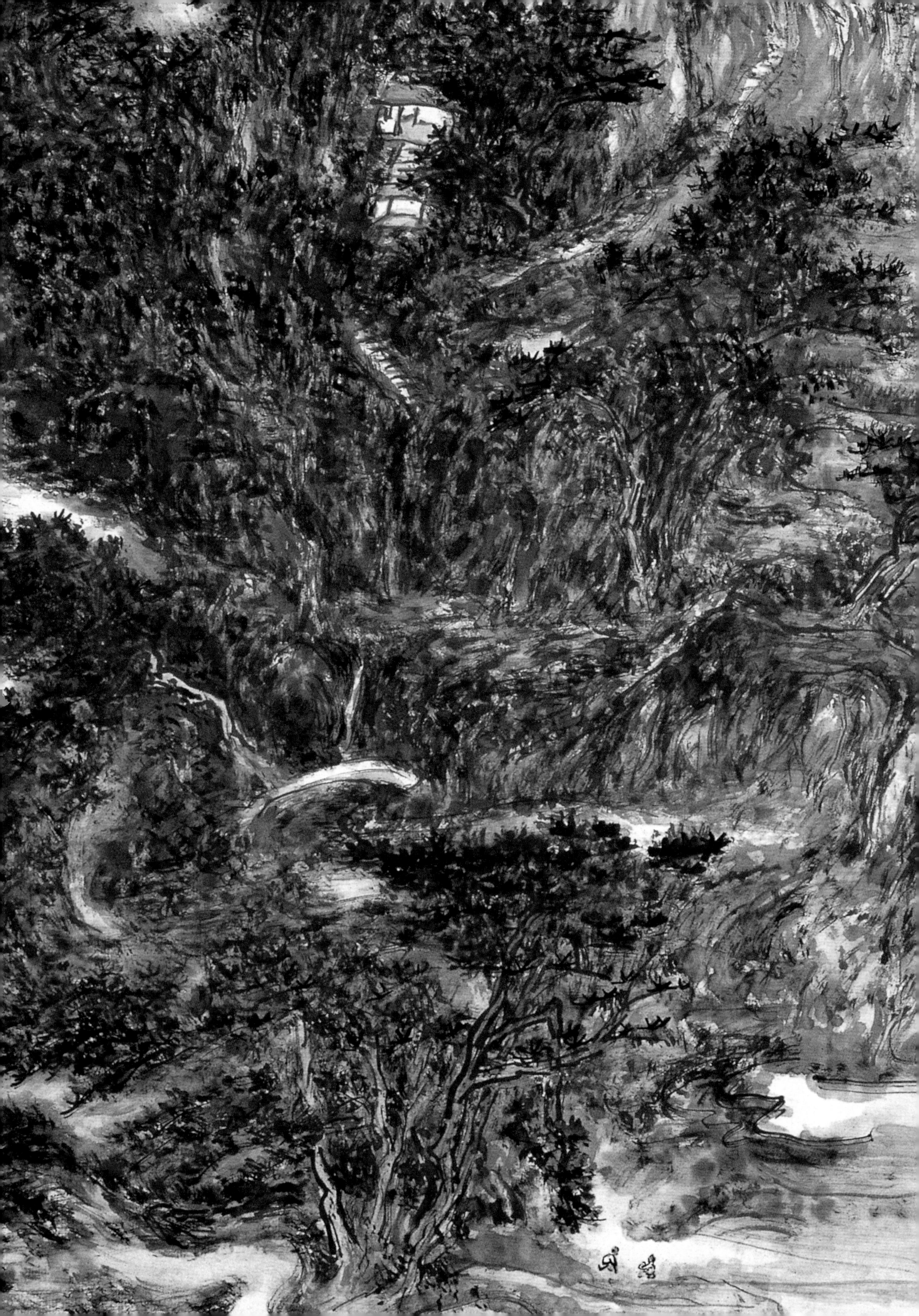

白岳紀游　紙本　縱八八厘米　橫三七厘米　中國美術館藏

題識：靈窟天蒼潤　奇峰地鬱盤　長廊依澗曲　兀坐夏生寒　白岳紀游

前四十年所作畫　甲午　賓虹重記

鈐印：黃賓虹　黃山山中人

若耶溪西子浣紗石 紙本 縱一〇一・三厘米 橫四七厘米 一九五四年作 中國美術館藏

題識：若耶溪西子浣紗石 詩人題咏最多 玆以無聲詩寫之 賓虹 甲午年九十又一

鈐印：黃賓虹

夜山圖意 紙本 縱五一・四厘米 橫三七・一厘米 一九五四年作 浙江省博物館藏

題識：夜山圖意 賓虹年九十又一

鈐印：黃賓虹

夜山圖意
賓虹年九十又一

黃海松濤 紙本 縱六六·八厘米 橫三一·七厘米 中國美術館藏

題識：黃海松濤 賓虹

鈐印：黃賓虹

山水 紙本 縱七五厘米 橫三五厘米 一九五五年作 故宫博物院供稿

題識：叔通先生教正 九十二叟賓虹

鈐印：黄賓虹 黄山山中人

黃山湯口　紙本　縱一六〇厘米　橫九二·二厘米　一九五五年作　故宮博物院供稿

題識：黃山湯口　三十六峰　天都蓮花前海勝景由湯口入　九十二叟賓虹

鈐印：黃賓虹　黃山山中人　冰上鴻飛館

山水 紙本 縱三四厘米 橫一七五厘米 浙江省博物館藏

山水 紙本
縱三六厘米
橫六三厘米
浙江省博物館藏

栖霞嶺下曉望 紙本 縱三六·五厘米 橫六二·五厘米 一九五五年作 故宮博物院供稿

題識：栖霞嶺下曉望 寫奉叔通先生教正 賓虹年九十又二

鈐印：黃賓虹 黃山山中人

教正
賓虹年九十又二

策　　劃・姜衍波　奚天鷹　王經春
主　　編・王伯敏
執行副主編・王經春
副 主 編・王肇達　趙雁君
分卷主編・童中燾　王克文　陸秀競　王大川
文字總監・梁　江
導　　語・駱堅群
責任編輯・田林海　王勝華　俞建華　王肇達
釋　　文・俞建華　王宏理
文字審校・俞建華
裝幀設計・毛德寶　俞佳迪　王肇達　田林海　王勝華
責任校對・黄　静
圖片攝影・葛立英　鄭向農

圖書在版編目（CIP）數據

黄賓虹全集.4，山水卷軸/《黄賓虹全集》編輯委員會編.—濟南：山東美術出版社；杭州：浙江人民美術出版社，2006.12（2014.4重印）

ISBN 978-7-5330-2335-5

Ⅰ.黄… Ⅱ.黄… Ⅲ.山水畫-作品集-中國-現代
Ⅳ.J222.7

中國版本圖書館CIP數據核字（2007）第015678號

出品人：姜衍波　奚天鷹

出版發行：山東美術出版社
濟南市勝利大街三十九號（郵編：250001）
http://www.sdmspub.com
電話：（0531）82098268　傳真：（0531）82066185
山東美術出版社發行部
濟南市勝利大街三十九號（郵編：250001）
電話：（0531）86193019　86193028
浙江人民美術出版社
杭州市體育場路三四七號（郵編：310006）
http://mss.zjcb.com
電話：（0571）85176548
浙江人民美術出版社營銷部
杭州市體育場路三四七號十九樓（郵編：310006）
電話：（0571）85176089　傳真：（0571）85102160

製版印刷：深圳華新彩印製版有限公司

開本印張：787×1092毫米　八開　四十二印張

版　次：二〇〇六年十二月第一版　二〇一四年四月第三次印刷

定　價：柒佰捌拾圓